OO Mira de cerca

Aves

ⓑ Bruño

Es un libro Dorling Kindersley
www.dk.com

Título original: *Look Closer - Birds*
Copyright ©: 2005 Dorling Kindersley Ltd, London
Textos de Sue Malyan

ⓑ Bruño

© Grupo Editorial Bruño, S. L., 2006
Maestro Alonso, 21; 28028-Madrid

Dirección Editorial: Trini Marull
Edición: Cristina González
Traducción: Ana Sáiz
Preimpresión: Alberto García

ISBN: 84-216-9206-2

Contenidos

Fíjate en nosotros.
Te mostraremos el tamaño
de todos los animales
de este libro.

Un alegre sonido

Un sonido parecido a la risa
resuena por todo el bosque.
¡Es un pito real,
que va buscando
su merienda!

¡fiuuuuu!

¿Sabías que...

... el pito real
hace su nido
en los árboles,
usando su pico
superfuerte?

Primero vuelo hasta
un árbol, y luego
subo por su tronco
con ayuda
de mis garras.

¡Hoy tengo mucha hambre!

Uso mi larga y pegajosa
lengua para cazar insectos,
¡y a veces hasta
la meto dentro
de los hormigueros!

El pito real
mide unos 30 cm
y puede llegar a vivir
hasta
15 años.

Estas plumas
rojas indican
que soy un
macho. En las
hembras, estas
mismas plumas
son negras.

La vigilante nocturna

Es de noche, y la lechuza común acecha…
Está esperando que aparezca una rana, un ratón u otro roedor para cenárselo.

Las lechuzas comunes llegan a medir casi 40 cm y pueden vivir hasta 21 años.

Estas plumas blancas ayudan a que los sonidos entren en mis oídos.

Cazo a mis presas con mis garras superafiladas y ganchudas.

¡Ojo, te estoy vigilando!

¿Sabías que...

... las lechuzas se tragan a sus presas enteras? Más tarde escupen los huesos, las plumas o la piel de los animales que se han comido.

¡yiiiiiii!

Tengo un cuerpo muy pequeño, pero mis plumas me hacen parecer más grande.

Un ave tímida

En la orilla de una ciénaga se oculta este calamón común. Si se asusta, ¡se sumergirá a toda prisa bajo el agua!

El calamón común puede medir unos 20 cm de largo.

Mis plumas están recubiertas de aceite para que el agua resbale por ellas con facilidad.

Si extiendo mis garras...
¡puedo andar sobre las hojas
que flotan en el agua!

Mi comida
favorita son
las semillas, los
insectos y los
peces muertos,
y suelo
encontrarlos
en la tierra
húmeda.

Tengo unas
patas bastante
largas para
poder caminar
por el agua.

¿Sabías que...

... el calamón
común se comunica
con los miembros
de su familia
mediante pequeños
chasquidos?

Recién nacido

Pocas horas después
de salir del cascarón,
¡este polluelo
de perdiz roja ya está
correteando!
Su coloración a rayas
le ayuda a camuflarse
por el suelo.

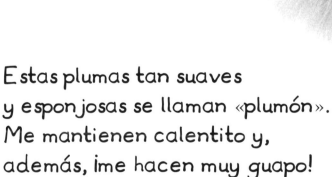

Estas plumas tan suaves
y esponjosas se llaman «plumón».
Me mantienen calentito y,
además, ¡me hacen muy guapo!

El polluelo
de la perdiz roja
mide unos 8 cm
de alto, mientras
un adulto puede
alcanzar
los 34 cm.

Pronto me crecerán las plumas,
y cuando tenga tan solo 16 días...
¡ya podré volar!

¡Pío, pío! ¿Mami, dónde estás?

Mis dedos son largos para poder escarbar bien en el suelo y encontrar comida.

¿Sabías que...

... la perdiz anida en un agujero del suelo? Ahí pone hasta 25 huevos, ¡más que cualquier otra ave!

En la playa

En la orilla del mar,
los ostreros negros
se sientan sobre agujeros
poco profundos
en los que empollan
sus huevos.

El ostrero negro
mide unos
45 cm
de largo.

¿Puedes distinguir
mis huevos?
¡Parecen
piedrecitas!

¿Sabías que...

... el ostrero negro usa su pico para abrir conchas? Las separa con fuerza o las machaca hasta que puede comerse la carne fresca de su interior.

Estaré aquí sentado muchos días.

No solo como ostras; también me gustan los cangrejos, las gambas y los gusanos.

Bonito reclamo

Cuando advierte
un peligro, la rosella oriental
chilla para avisar a sus compañeras.
Y cuando encuentra frutas y semillas,
también llama a otras rosellas
para invitarlas al banquete.

¡flap! ¡flap!

Somos aves muy
sociables,
y vivimos con
nuestra pareja
o con toda
nuestra familia.

¿Sabías que...

... el pico
de la rosella nunca
deja de crecer?
Ella va dándole forma
cascando frutos
secos y semillas.

Soy un macho, y mis plumas de llamativos colores me ayudan a atraer a las hembras.

¡crac! ¡crac! ¡crunch!

La rosella oriental puede alcanzar los 60 cm de largo.

Las primeras plumas

Este joven cárabo común
vigila desde lo alto
de un roble.
Sus plumas moteadas
se confunden con las ramas
y las hojas, impidiendo
que se le vea.

Los cárabos comunes
llegan a medir unos
40 cm.

Mis plumas son
suaves y blanditas
porque todavía
soy pequeño.

¿Sabías que...

... el cárabo
puede mirar hacia
atrás... ¡girando
totalmente
la cabeza!?

Mis plumas tienen bordes esponjosos que me ayudan a volar sin hacer ruido.

¡uh, uhhh!

Las plumas de las garras me protegen de los mordiscos de mis presas.

Un pico enoooorme

En la calurosa y húmeda selva tropical, este tucán se toma un aperitivo. Usa su pico para comerse una dulce fruta de la pasión. ¡Hummm, qué rica!

Mi pico es casi tan grande como mi cuerpo, pero pesa muy poco porque está hueco.

slurp slurp

El pico de un tucán puede medir hasta 12 cm de largo.

Para tragar, levanto el pico y dejo que la comida caiga por mi garganta.

¿Sabías que...

... cuando quiere echarse una siestecita, el tucán apoya el pico... ¡en su espalda!?

¡Una fruta de la pasión! ¡Mi favorita!

Tú reconoces a tus amigos por sus caras, y yo a los míos... ¡por sus picos multicolores!

Buscando comida

Esta lavandera se lanza volando
desde el borde de un arroyo.
Coge una mosca con el pico y agarra
con fuerza el insecto, que se retuerce
para escapar.

Cuando vuelo,
la cola me sirve
como timón.

¿Sabías que...

... cuando
este tipo
de lavandera
se posa, balancea
la cola arriba
y abajo?

Recojo los excrementos de
mi nido y los lanzo al arroyo.